PATTERNS

매스티안

팩토슐레 Math Lv. 2 교재 소개

" 우리 아이 첫 수학도 창의력을 키우는 **FACTO**와 함께! "

● **팩토슐레**는 처음 수학을 시작하는 유아를 위한 창의사고력 전문 프로그램입니다.

● **팩토슐레**는 만들기, 게임, 색칠하기, 붙임딱지 붙이기 등의 다양한 수학 활동을 하면서 스스로 수학 개념을 알 수 있도록 구성하였습니다.

※팩토슐레는 6권으로 구성되어 있으며, 각 권에는 30가지의 재미있는 활동이 수록되어 있습니다.

누리과정

팩토슐레는 누리과정 · 초등수학과정을 연계하여 수학의 5대 영역 (수와 연산, 공간과 도형, 측정, 규칙, 문제해결력)을 균형 있게 학습할 수 있도록 하였습니다.
특히 가장 중요한 수와 연산은 각 권으로 구성하여 깊이 있는 학습이 가능하도록 하였습니다.

STEAM PLAY MATH

팩토슐레는 4, 5, 6세 연령별로 학습할 수 있도록 설계한 놀이 수학입니다.
매일매일 놀이하듯 자르고, 붙이고, 색칠하는 30가지의 재미있는 활동을 통해 창의사고력을 기를 수 있습니다.

동화책풍의 친근한 그림

팩토슐레는 동화책풍의 그림들을 수록하여 아이들이 수학을 더욱 친근하게 느끼며 좋아할 수 있도록 하였습니다. 또한 한글을 최소화하고 학습 내용을 직관적으로 이해할 수 있도록 하였습니다.

팩토슐레 Math Lv. ❷ 교구·App 소개

" 수학 교육 분야 **증강현실(AR)**과 **사물인식(OR)** 기술을 **국내 최초 도입** "

교구를 활용한 App 학습 프로세스

① 거치대와 반사경 설치 → **②** App 실행 → **③** 교구로 문제 해결 → **④** 사물인식 기술을 활용하여 교구 인식 → **⑤** 정답과 오답 체크

자기주도학습 　`팩토슐레 App만의 장점`

팩토슐레 App은 사물인식(OR) 기술을 사용하여 아이들의 학습 정보를 습득한 후, App에 프로그래밍된 학습도우미를 통하여 아이들이 문제 푸는 것을 힘들어하거나 틀릴 경우에는 힌트를 제공합니다.
이와 같은 방식의 스마트기기와의 상호작용은 학습의 효율을 높이고 자기주도학습 능력을 길러 줍니다.

완벽한 학습 설계 App 　`다른 교육 App과의 차별점`

팩토슐레 App은 수학 교육 목표에 맞게 완벽한 학습 설계가 되어 있습니다. 아이들은 게임 기반의 학습 App을 진행하면서 어려운 문제도 술술 풀 수 있습니다.

증강현실(AR) 기술 도입

팩토슐레 App은 아이들이 캐릭터와 사진도 찍고, 자신이 그린 그림으로 자기만의 쿠키도 만들면서 학습 몰입도를 높일 수 있습니다.

01 옷 가게에 왔어요. 알록달록 예쁜 옷들이 너무 많아서 어떤 옷을 골라야 할지 정하기가 힘든가 봐요. 활동지를 붙여 친구들에게 **어울리는 옷**을 골라 주세요. 활동지 ①

활동지
붙이는 곳

활동지
붙이는 곳

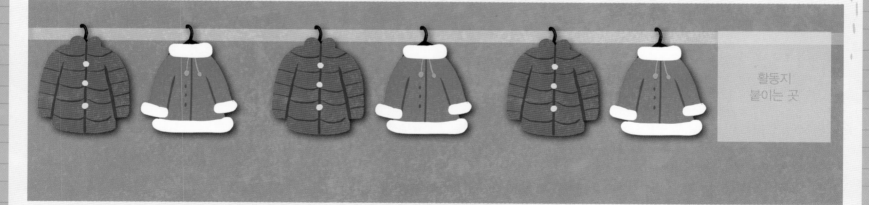

활동지
붙이는 곳

활동지
붙이는 곳

엄마는 선생님! 첫 번째 그림을 A, 두 번째 그림을 B라고 할 때, **AB/AB/AB/AB**의 순서로 모양이 바뀌는 규칙입니다.

02

꽃밭 사이를 벌들이 날아다녀요. 튤립꽃을 좋아하는 벌인가 봐요.
종이를 접어 예쁜 **튤립** 꽃송이를 만들어 보세요. 활동지 ③ ①

튤립 접는 방법

❶ 색종이를 반으로 접습니다.

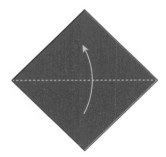

❷ 점선을 따라 오른쪽 끝을 비스듬
히 접어줍니다.

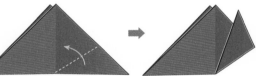

❸ 점선을 따라 왼쪽 끝도 접어주면
완성!

튤립
붙이는 곳

튤립
붙이는 곳

튤립
붙이는 곳

활동지
붙이는 곳

활동지
붙이는 곳

활동지
붙이는 곳

활동지
붙이는 곳

비가 와요. 나뭇잎 우산을 쓴 동물 친구도 있고, 작은 모자 우산을 쓴 친구도 보여요. 선을 따라 **빗줄기**를 그려 보세요. 또 활동지를 붙여 친구들에게 **우산**을 씌워 주세요. 활동지 ①

활동지
붙이는 곳

활동지
붙이는 곳

활동지
붙이는 곳

활동지
붙이는 곳

엄마는
선생님! 첫 번째 그림을 A, 두 번째 그림을 B라고 할 때, **AB/AB/AB/AB**의 순서로 색깔이 바뀌는 규칙입니다.

04 하늘에 두둥실 열기구가 떠다녀요. 낙하산을 탄 친구, 구름에 누워 있는 친구도 보이네요.
활동지를 작은 조각으로 오리거나 찢어 붙여서 **나만의 특별한 열기구**를 만들어 보세요.

활동지 **7** **1**

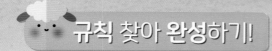 

규칙 찾아 완성하기!

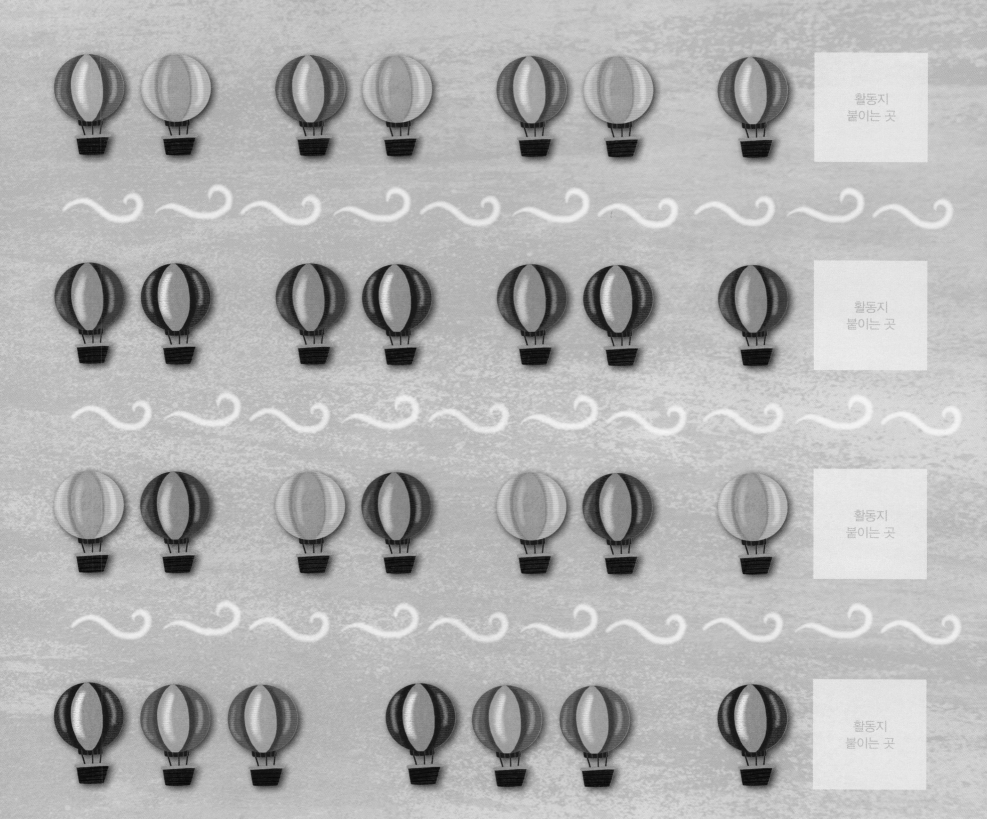

활동지
붙이는 곳

활동지
붙이는 곳

활동지
붙이는 곳

활동지
붙이는 곳

엄마는
선생님!   첫 번째 그림을 A, 두 번째 그림을 B라고 할 때, **AB/AB/AB/ABB**의 순서로 색깔이 바뀌는 규칙입니다.

05 예쁜 집들이 모여 있는 마을이에요. 여기저기 숨어 있는 동물 친구들을 보니 아마도 숨바꼭질을 하고 있나 봐요. 활동지를 붙여 **나만의 예쁜 집**을 만들어 보세요. 활동지 ①

활동지
붙이는 곳

활동지
붙이는 곳

활동지
붙이는 곳

활동지
붙이는 곳

**엄마는
선생님!** 첫 번째 그림을 A, 두 번째 그림을 B라고 할 때, **AB/AB/AAB/AB**의 순서로 모양이 바뀌는 규칙입니다.

06 화려한 날개를 뽐내며 공작새들이 모여 있어요. 그런데 한 마리는 날개가 없네요.
활동지로 **공작새**에게 **날개**를 만들어 주세요. 활동지 ③

공작새 날개 만드는 방법

❶ 색띠의 양 끝을 붙여 줍니다.

❷ 공작새 주위의 둥근 선에 맞게
초록색 색띠를 붙여 줍니다.

❸ 노란색 색띠를 엇갈려 덧붙여
주면 완성!

활동지 붙이는 곳

규칙 찾아 색칠하기!

07 여러 가지 모양의 자동차들이 도로를 달리고 있어요. 새콤달콤 아이스크림 가게도 보이네요.
붙임딱지를 붙이고 나머지 부분을 그려 넣어 **자동차**를 완성하세요. 붙임딱지 ① 활동지 ①

활동지
붙이는 곳

활동지
붙이는 곳

활동지
붙이는 곳

활동지
붙이는 곳

엄마는
선생님!

첫 번째 그림을 A, 두 번째 그림을 B라고 할 때, **AB/ABB/AB/AB**의 순서로 색깔 또는 모양이 바뀌는 규칙입니다.

각 칸에 표시된 색으로 색칠하면 그림이 나타나요. 과연 어떤 그림일까요?
빠짐없이 색칠하여 **어떤 그림**이 나타나는지 알아보세요. 활동지 ①

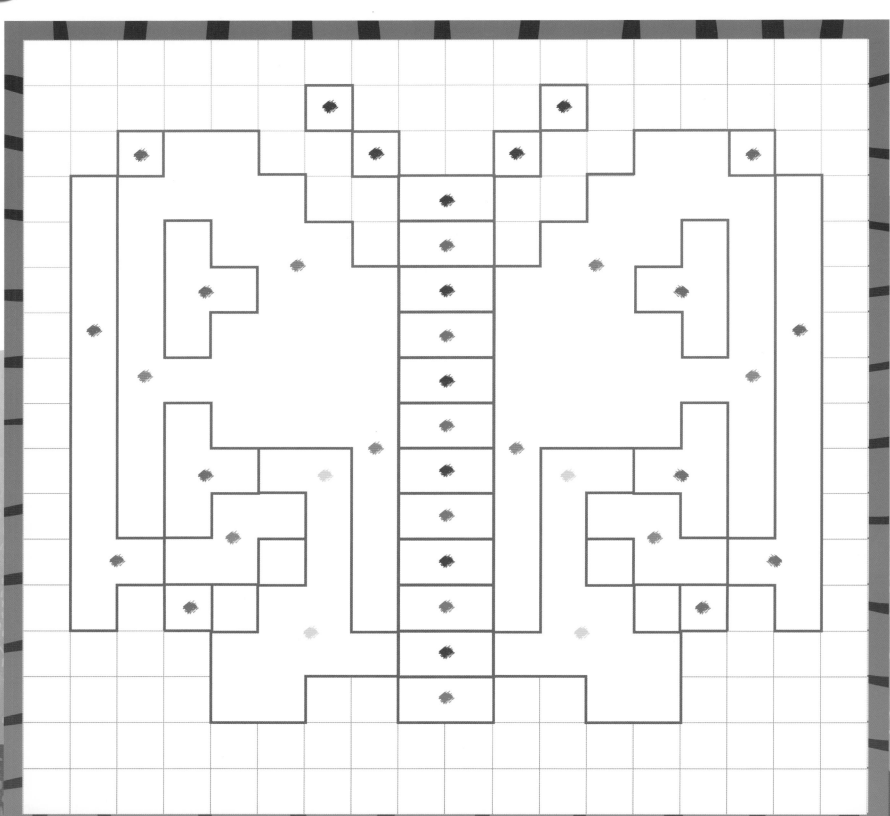

첫 번째, 두 번째, 세 번째 그림을 각각 A, B, C라고 할 때, **AB/AB/ABC/ABC**의 순서로 모양 또는 색깔이 바뀌는 규칙입니다.

로켓을 타고 우주비행사들이 탐험을 해요. 우주 어딘가에 지구같이 아름다운 초록별이 있을지도 몰라요. 활동지를 붙여 **나만의 멋진 로켓**을 만들어 보세요. 활동지 **①** **②**

로켓
붙이는
곳

로켓
붙이는
곳

로켓
붙이는
곳

로켓
붙이는
곳

활동지
붙이는 곳

활동지
붙이는 곳

활동지
붙이는 곳

활동지
붙이는 곳

10 바닷속 풍경이에요. 그런데 물고기가 몇 마리밖에 보이지 않아요. 종이를 접어
물고기를 만들어 주세요. 활동지 ❹ ❷

활동지 ❹ ❷

물고기 접는 방법

❶ [머리 접기] 점선을 따라 접습니다.

❷ [꼬리 접기] 점선을 따라 접습니다.

❸ 머리와 꼬리를 풀로 붙이면
물고기 완성!

풀칠하는 곳

물고기
붙이는 곳

물고기
붙이는 곳

물고기
붙이는 곳

물고기
붙이는 곳

물고기
붙이는 곳

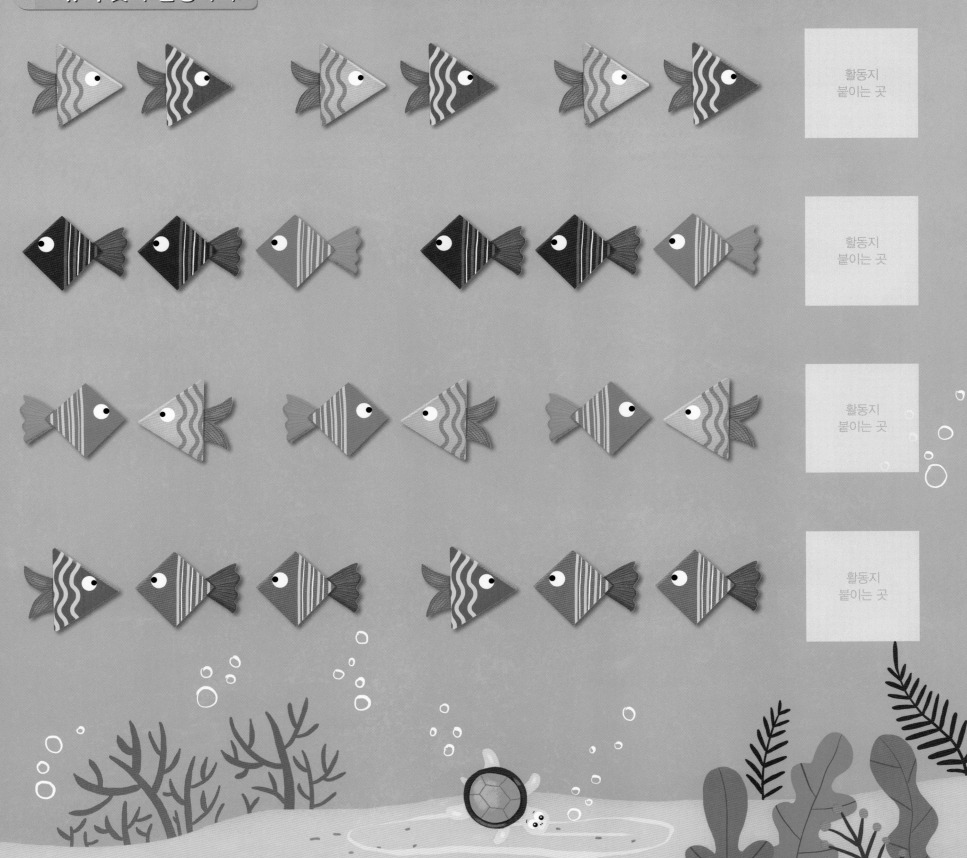

활동지
붙이는 곳

활동지
붙이는 곳

활동지
붙이는 곳

활동지
붙이는 곳

커다란 나뭇잎에 달팽이와 애벌레가 앉아서 소곤소곤 얘기를 나누고 있어요. 붙임딱지를 붙이고 나머지 부분을 그려 넣어 **애벌레와 달팽이**를 완성하세요. 붙임딱지 1 활동지 2

규칙 찾아 완성하기!

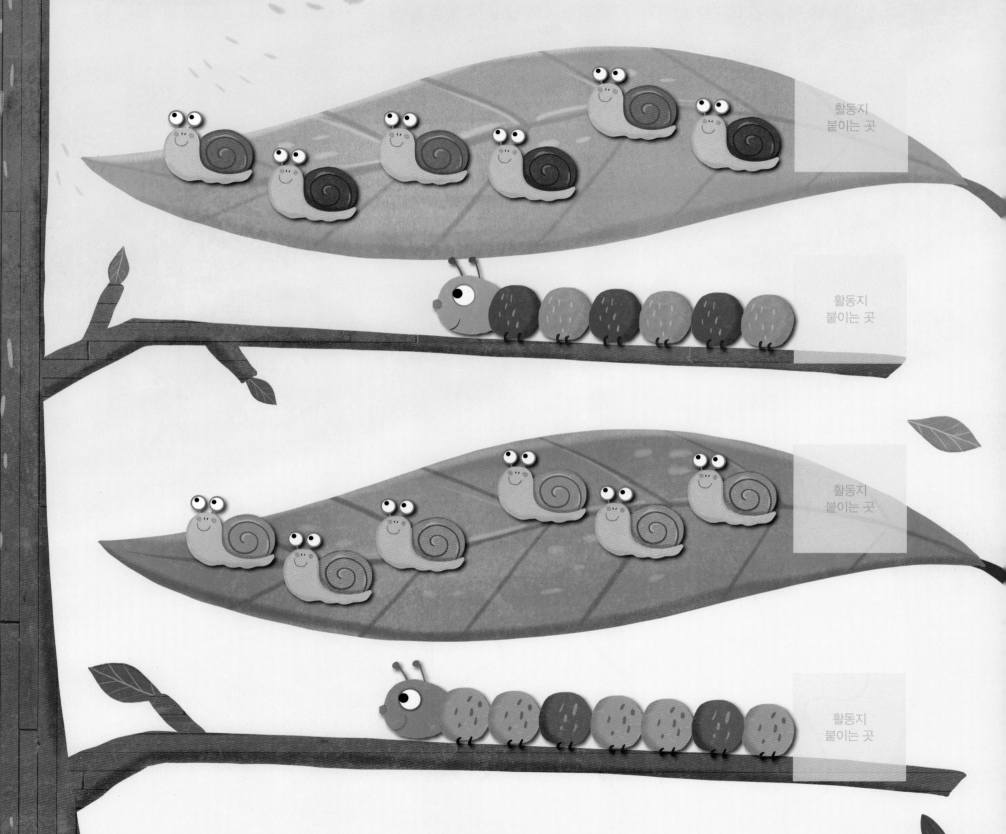

활동지
붙이는 곳

활동지
붙이는 곳

활동지
붙이는 곳

활동지
붙이는 곳

첫 번째 그림을 A, 두 번째 그림을 B라고 할 때, **AB/AB/ABB/AAB**의 순서로 색깔이 바뀌는 규칙입니다.

12 맛있는 수박이 주렁주렁 열렸어요. 친구들이 잘 익은 수박을 고르려고 해요.
활동지를 작은 조각으로 오리거나 찢어 붙여서 달고 맛있는 **수박**을 만들어 보세요.

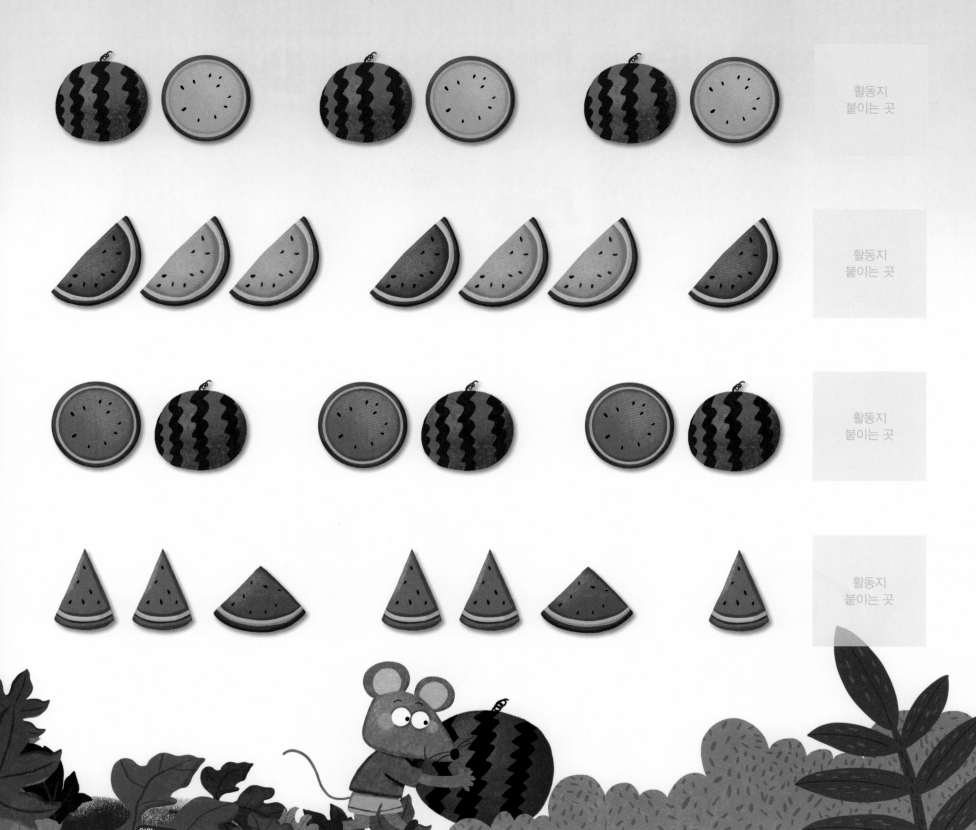

활동지
붙이는 곳

활동지
붙이는 곳

활동지
붙이는 곳

활동지
붙이는 곳

첫 번째 그림을 A, 두 번째 그림을 B라고 할 때, **AB/ABB/AB/AAB**의 순서로 색깔 또는 모양이 바뀌는 규칙입니다.

13 온 세상이 하얀 눈으로 덮였어요. 친구들은 신이 나서 눈밭을 뒹굴기도 하고 커다란 눈사람을 만들기도 해요. 붙임딱지를 붙여 **눈사람**을 꾸며 주세요. 붙임딱지 ① 활동지 ②

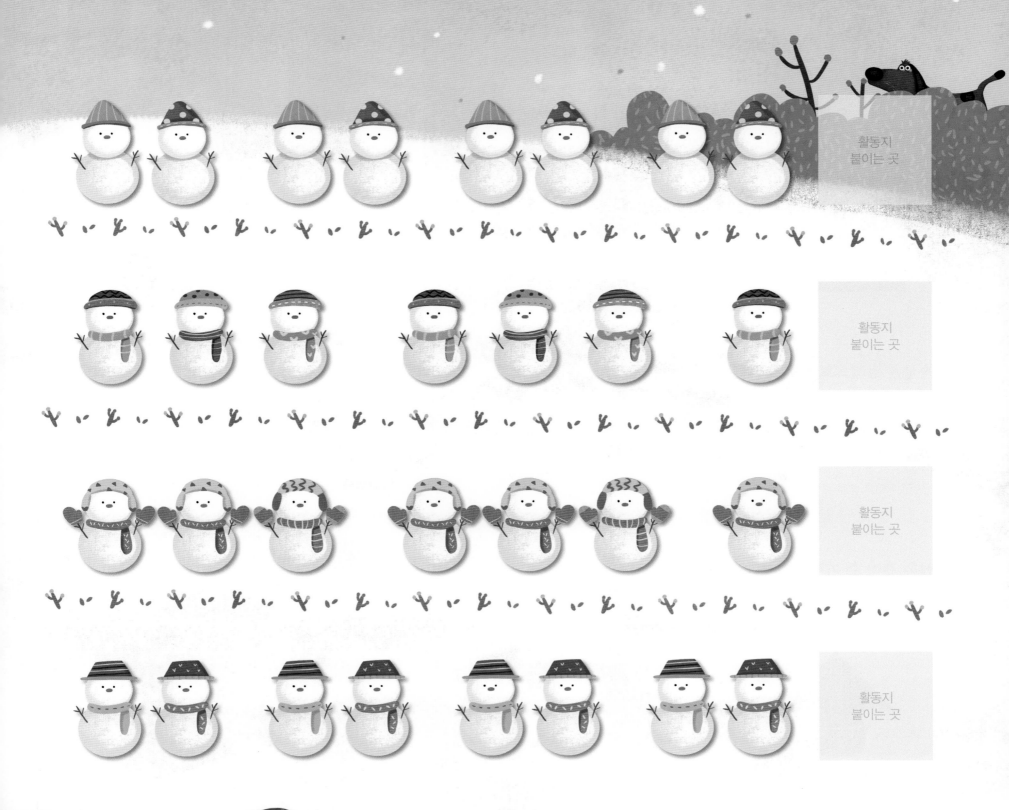

활동지 붙이는 곳

활동지 붙이는 곳

활동지 붙이는 곳

활동지 붙이는 곳

엄마는 선생님! 첫 번째, 두 번째, 세 번째 그림을 각각 A, B, C라고 할 때, **AB/ABC/AAB/AB**의 순서로 모자, 목도리 또는 장갑의 색깔이 바뀌는 규칙입니다.

14 꼬마 요정들이 밤새 크리스마스트리를 만들고 갔나 봐요. 활동지로 예쁜 **트리**를 만들고
별장식도 붙여 보세요. 활동지 ④ ②

크리스마스트리 만드는 방법

❶ 색종이를 반으로 접습니다.　❷ 점선을 따라 가운데에서
만나도록 접습니다.

❸ 똑같은 방법으로 크기가 다른 나머지 종이도 접습니다.

❹ 접은 종이 중 가장 큰 것부터 나무 위에 차례로 붙입니다.

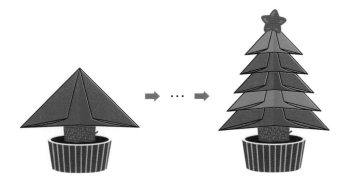

활동지
붙이는 곳

활동지
붙이는 곳

활동지
붙이는 곳

활동지
붙이는 곳

활동지
붙이는 곳

엄마는
선생님! 첫 번째, 두 번째, 세 번째 그림을 각각 A, B, C라고 할 때, **AB/AB/ABC/ABB**의 순서로 색깔 또는 모양이 바뀌는 규칙입니다.

물고기가 바닷속을 헤엄치고 있어요. 꽃게도 해초 사이를 부지런히 지나가네요. 붙임딱지를 붙이고 나머지 부분을 그려 넣어 **물고기**를 완성하세요. 붙임딱지 **1** 활동지 **2**

활동지
붙이는 곳

활동지
붙이는 곳

활동지
붙이는 곳

활동지
붙이는 곳

엄마는
선생님!
첫 번째 그림을 A, 두 번째 그림을 B라고 할 때, **AB/AAB/AB/ABA**의 순서로 색깔이 바뀌는 규칙입니다.

각 칸에 표시된 색으로 색칠하면 그림이 나타나요. 과연 어떤 그림일까요?
빠짐없이 색칠하여 **어떤 그림**이 나타나는지 알아보세요. 활동지 ②

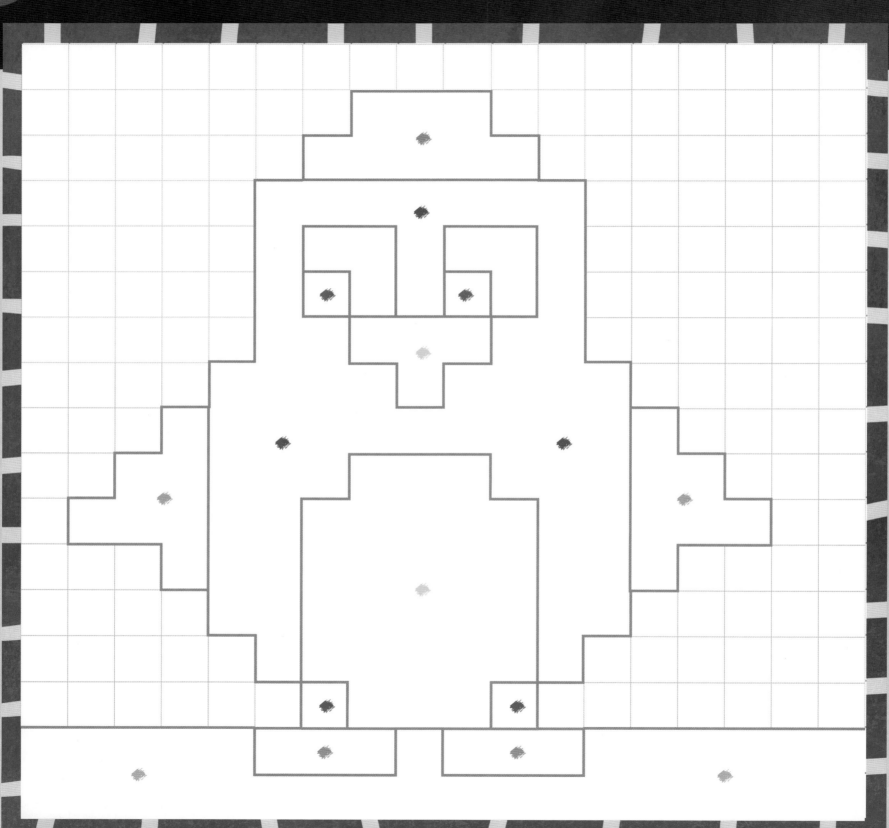

활동지
붙이는 곳

활동지
붙이는 곳

활동지
붙이는 곳

활동지
붙이는 곳

엄마는
선생님!
첫 번째, 두 번째, 세 번째 그림을 각각 A, B, C라고 할 때, **AB/AB/ABC/ABC**의 순서로 모양이 바뀌는 규칙입니다.

17 벌과 나비가 꽃들 사이를 날아다니고 있어요. 부지런히 꽃가루와 꿀을 모으고 있나 봐요. 붙임딱지를 붙이고 나머지 부분을 그려 넣어 **벌과 나비**를 완성하세요. 붙임딱지 **1** 활동지 **2**

활동지
붙이는 곳

활동지
붙이는 곳

활동지
붙이는 곳

활동지
붙이는 곳

엄마는
선생님!

첫 번째, 두 번째, 세 번째 그림을 각각 A, B, C라고 할 때, **AB/AB/ABC/ABC**의 순서로 모양 또는 방향이 바뀌는 규칙입니다.

18 예쁜 색띠로 목걸이를 만들어 엄마에게 선물하려고 해요. 나만의 모양으로 **목걸이**를 만들어 보세요. 활동지 **5**

목걸이 만드는 방법

❶ 색띠를 동그랗게 말아 고리를 만듭니다.

❷ 나만의 규칙을 정해 규칙에 맞게 순서대로 연결합니다.

❸ 목에 걸 수 있도록 길게 연결한 후 마지막 고리를 처음 고리에 연결하면 완성!

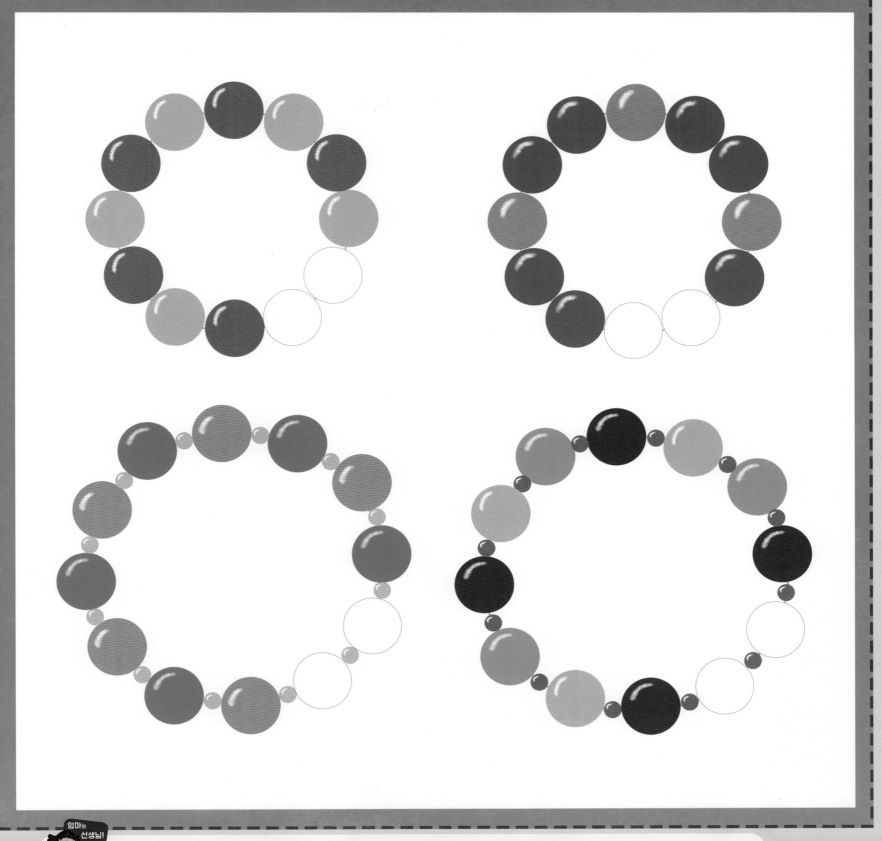

엄마는 선생님!

첫 번째, 두 번째, 세 번째 색깔을 각각 A, B, C라고 할 때, **AB/AAB/AB/ABC**의 순서로 색깔이 바뀌는 규칙입니다.

깊은 바닷속에 잠수정이 가고 있어요. 오징어도 문어도 깜짝 놀랐나 봐요. 붙임딱지를 붙이고 나머지 부분을 그려 넣어 **잠수정과 오징어**를 완성하세요. 붙임딱지 **1** 활동지 **2**

활동지
붙이는 곳

엄마는 선생님! 첫 번째, 두 번째, 세 번째 그림을 각각 A, B, C라고 할 때, **AB/AAB/ABC/AB**의 순서로 색깔 또는 모양이 바뀌는 규칙입니다.

20 넘실넘실 파도를 타며 배가 가고 있어요. 멋쟁이 선장님이 문어와 고래에게 손을 흔들어 주시네요.
활동지를 작은 조각으로 오리거나 찢어 붙여서 선장님에게 어울리는 **배**를 만들어 보세요. 활동지 ⑧ ②

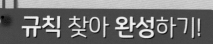

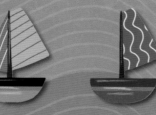

첫 번째, 두 번째, 세 번째 그림을 각각 A, B, C라고 할 때, **AB/AB/ABB/ABC**의 순서로 색깔 또는 모양이 바뀌는 규칙입니다.

21 높은 하늘에 비행기와 헬리콥터가 날고 있어요. 풍선을 잡고 두둥실 떠다니는 동물 친구도 보여요. 붙임딱지를 붙이고 나머지 부분을 그려 넣어 **비행기와 헬리콥터**를 완성하세요. 붙임딱지 ❶ 활동지 ❷

활동지
붙이는 곳

활동지
붙이는 곳

활동지
붙이는 곳

활동지
붙이는 곳

22

강아지와 고양이가 있어요. 그런데 얼굴이 보이지 않아 표정을 알 수 없네요. 종이를 접어 귀여운 **강아지와 고양이** 얼굴을 만들어 보세요. 활동지 ④ ②

강아지 접는 방법

❶ 색종이를 반으로 접습니다.

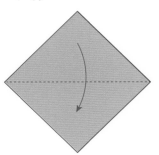

❷ 점선을 따라 양쪽 귀를 접습니다.

❸ 점선을 따라 턱을 뒤로 접으면 완성!

고양이 접는 방법

❶ 색종이를 반으로 접습니다.

❷ 점선을 따라 양쪽 귀를 접습니다.

❸ 점선을 따라 접은 후 뒤집으면 완성!

뒤집기

첫 번째, 두 번째, 세 번째 그림을 각각 A, B, C라고 할 때, **AB/AAB/ABA/ABA**의 순서로 색깔 또는 종류가 바뀌는 규칙입니다.

23 농장 마당에 귀여운 병아리와 닭이 놀고 있어요. 돼지도 빼꼼히 내다보네요. 붙임딱지를 붙이고
나머지 부분을 그려 넣어 **병아리와 닭**을 완성하세요. 붙임딱지 ❶ 활동지 ❷

활동지
붙이는 곳

활동지
붙이는 곳

활동지
붙이는 곳

활동지
붙이는 곳

24 각각의 조각에 표시된 색으로 색칠하면 그림이 나타나요. 과연 어떤 그림일까요?
빠짐없이 색칠하여 **어떤 그림**이 나타나는지 알아보세요.

첫 번째, 두 번째, 세 번째 색을 각각 A, B, C라고 할 때, **AB/AB/ABC/ABC**의 순서로 색깔이 바뀌는 규칙입니다.

25 여러 방향으로 접거나 펼칠 때마다 **동작이 바뀌는** 재미있는 종이접기예요. 종이를 접어
동작 흉내내기 놀이를 해 보세요. 활동지 ⑥ ②

움직이는 아이 만들기

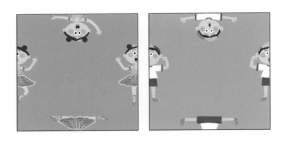

❶ 가운데에서 만나도록 점선을 따라 접습니다.

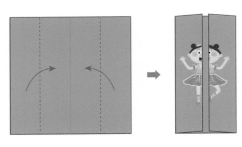

❷ 가운데에서 만나도록 점선을 따라 접습니다.

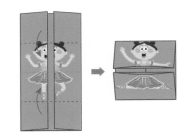

❸ 그림과 같이 윗부분을 벌려 점끼리 만나도록 접습니다.

❹ 같은 방법으로 아랫부분도 접으면 완성!

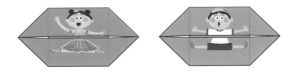

❺ 그림과 같이 끝부분을 위, 아래로 접어 올리거나 내리면 다른 동작이 나타납니다.

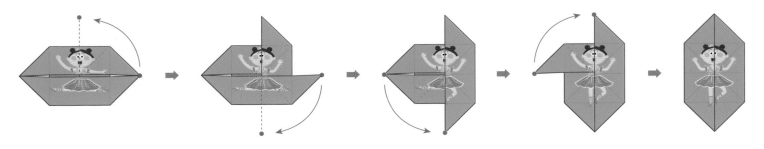

❻ 여러 가지 방법으로 접거나 펴면 동작이 바뀝니다.

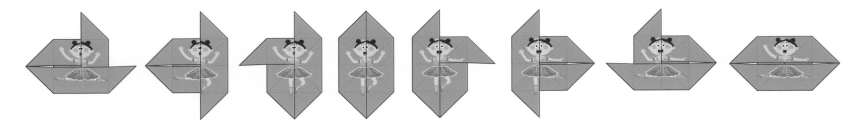

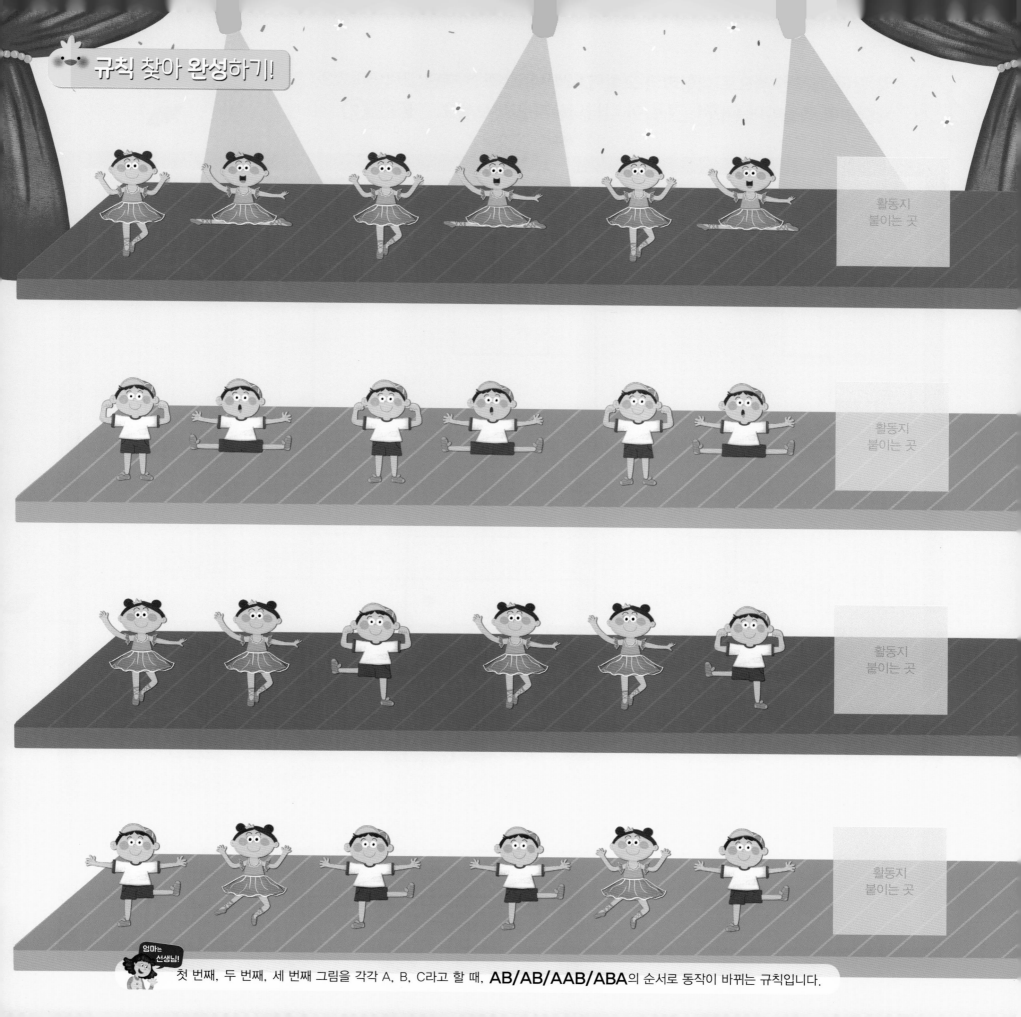

활동지
붙이는 곳

활동지
붙이는 곳

활동지
붙이는 곳

활동지
붙이는 곳

엄마는
선생님!

첫 번째, 두 번째, 세 번째 그림을 각각 A, B, C라고 할 때, **AB/AB/AAB/ABA**의 순서로 동작이 바뀌는 규칙입니다.

각 칸에 표시된 색으로 색칠하면 그림이 나타나요. 과연 어떤 그림일까요?
빠짐없이 색칠하여 **어떤 그림**이 나타나는지 알아보세요. 활동지 ②

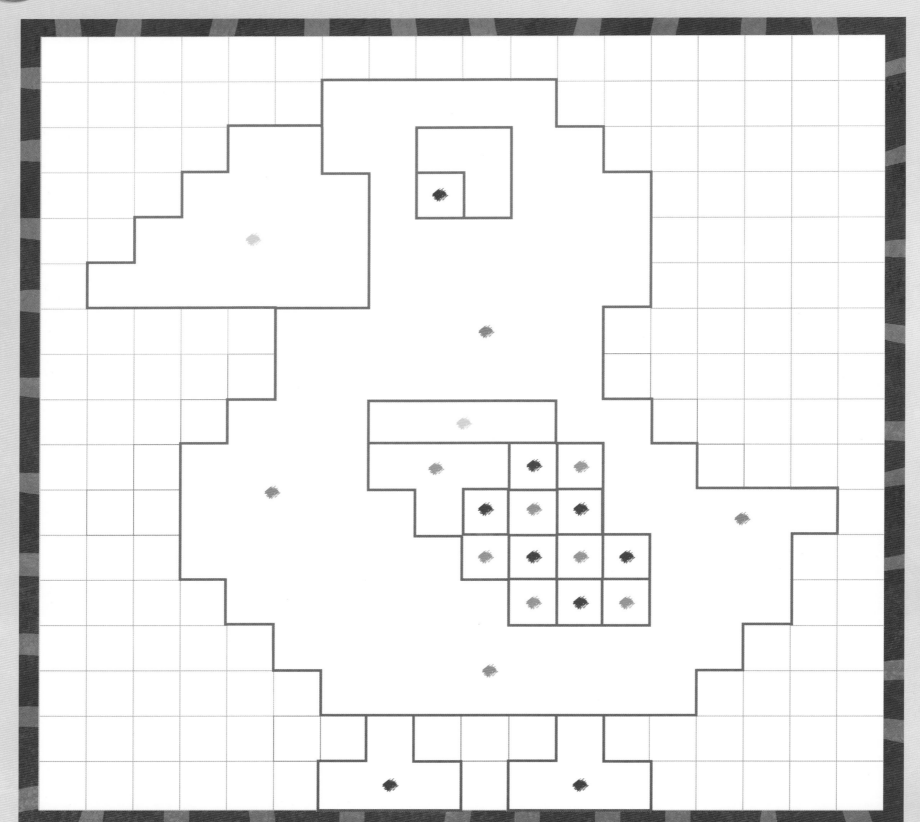

활동지
붙이는 곳

활동지
붙이는 곳

활동지
붙이는 곳

활동지
붙이는 곳

엄마는
선생님! 첫 번째, 두 번째, 세 번째 그림을 각각 A, B, C라고 할 때, **ABB/AAB/ABC/ABC**의 순서로 모양 또는 방향이 바뀌는 규칙입니다.

27 우주선에 외계인이 타고 있어요. 활짝 웃는 모습을 보니 친구가 되고 싶은가 봐요.
활동지를 작은 조각으로 오리거나 찢어 붙여서 외계인 친구의 **우주선**을 꾸며 보세요. 활동지 9 3

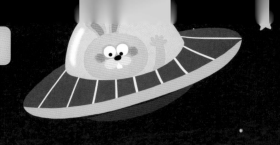

활동지
붙이는 곳

활동지
붙이는 곳

활동지
붙이는 곳

활동지
붙이는 곳

엄마는
선생님! 첫 번째, 두 번째, 세 번째 그림을 각각 A, B, C라고 할 때, **ABB/AAB/ABC/ABA**의 순서로 모양이 바뀌는 규칙입니다.

28 각각의 조각에 표시된 색으로 색칠하면 그림이 나타나요. 과연 어떤 그림일까요?
빠짐없이 색칠하여 **어떤 그림**이 나타나는지 알아보세요. 활동지 ③

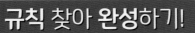

엄마는
선생님!
첫 번째, 두 번째, 세 번째 그림을 각각 A, B, C라고 할 때, **ABC/ABC/ABC/ABC**의 순서로 모양이 바뀌는 규칙입니다.

29 자동차 전시장에 왔어요. 멋신 자동차가 많네요. 친구들은 어떤 자동차를 좋아하나요?
활동지를 작은 조각으로 오리거나 찢어 붙여서 **나만의 자동차**를 만들어 보세요.

활동지 ❾ ❸

활동지
붙이는 곳

활동지
붙이는 곳

활동지
붙이는 곳

활동지
붙이는 곳

엄마는
선생님!

첫 번째, 두 번째, 세 번째 그림을 각각 A, B, C라고 할 때, **AAB/ABB/ABC/ABA**의 순서로 모양이 바뀌는 규칙입니다.

30

커다란 나무에 매미와 무당벌레가 앉아 있어요. 매미는 큰 소리로 노래를 하고 무당벌레는 소곤소곤 얘기를 해요. 종이를 접어 **매미와 무당벌레를** 만들어 보세요. 활동지 **6** **3**

매미 접는 방법

❶ 종이를 반으로 접습니다.

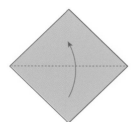

❷ 가운데에서 만나도록 접습니다.

❸ 점선을 따라 순서대로 접습니다.

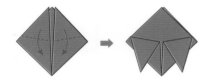

❹

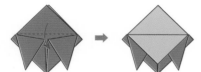

❺

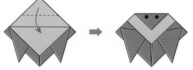

❻ 점선을 따라 뒤로 접으면 완성!

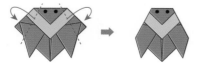

무당벌레 접는 방법

❶ 가운데에서 만나도록 접습니다.

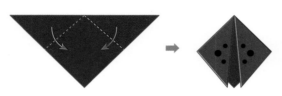

❷ 점선을 따라 접습니다.

❸ 뒤집은 후 점선을 따라 양옆을 접습니다.

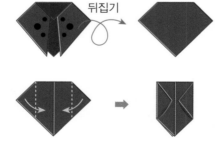

❹ 다시 뒤집은 후 머리의 양 끝을 뒤로 접으면 완성!

활동지
붙이는 곳

활동지
붙이는 곳

활동지
붙이는 곳

활동지
붙이는 곳

엄마는
선생님!

첫 번째, 두 번째, 세 번째 그림을 각각 A, B, C라고 할 때, **AAB/ABB/ABC/ABA**의 순서로 색깔 또는 모양이 바뀌는 규칙입니다.

MEMO

※ 꾸며야 할 그림에 먼저 풀을 칠한 후
종이를 찢어 붙이세요.

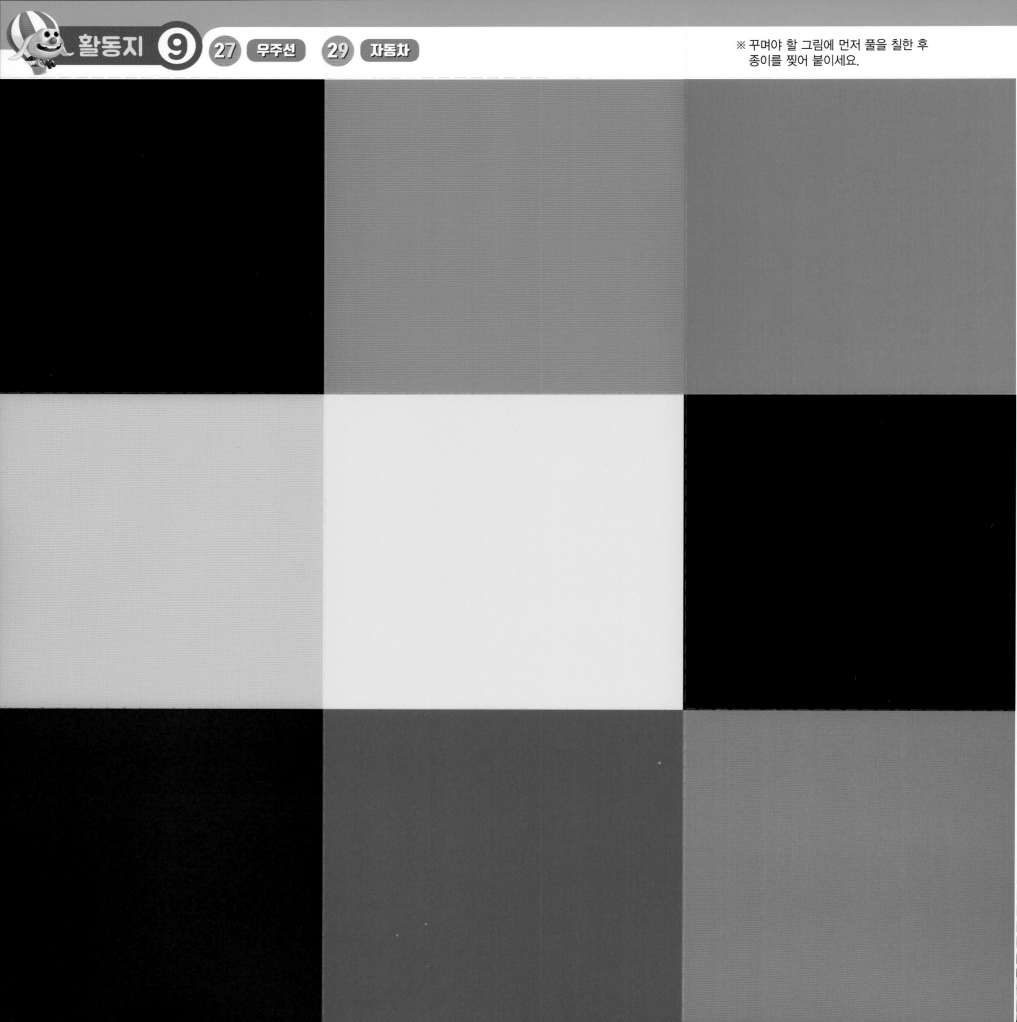

※ 꾸며야 할 그림에 먼저 풀을 칠한 후
　종이를 찢어 붙이세요.

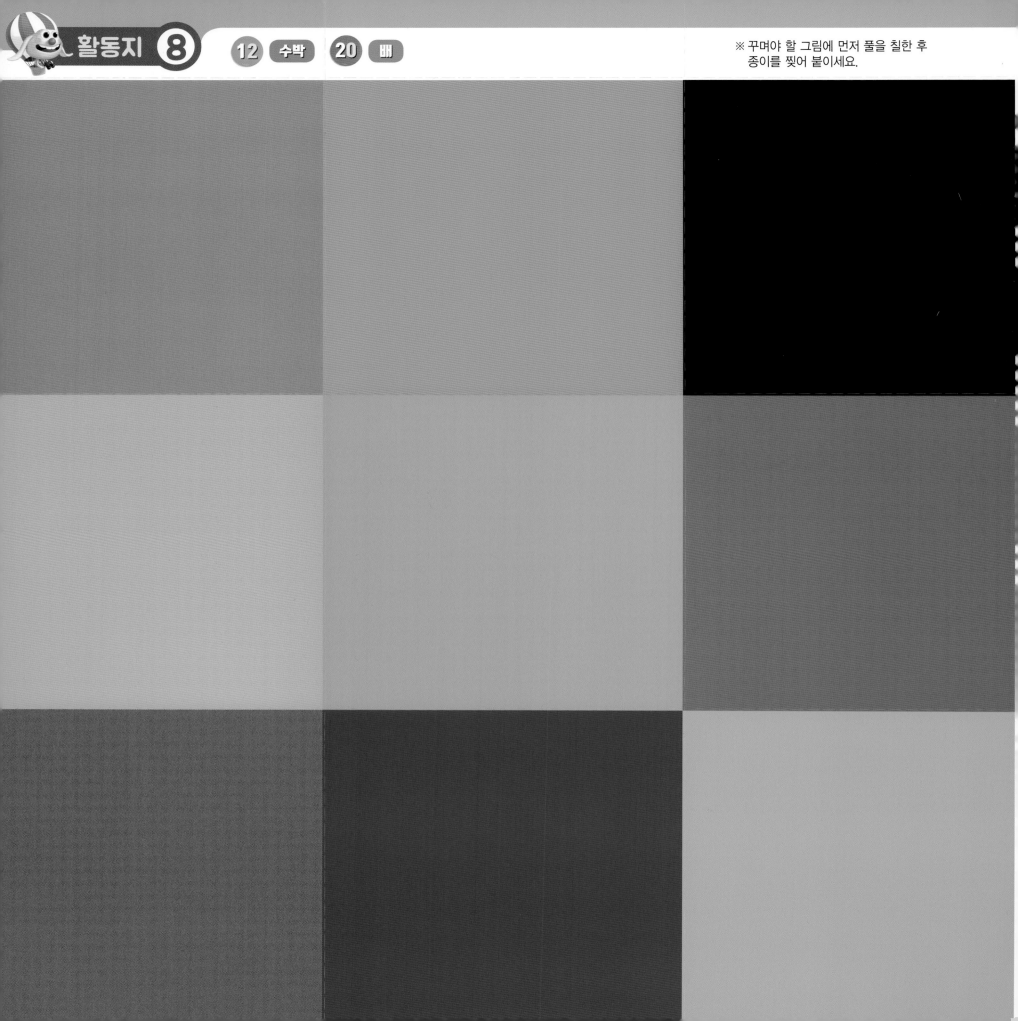

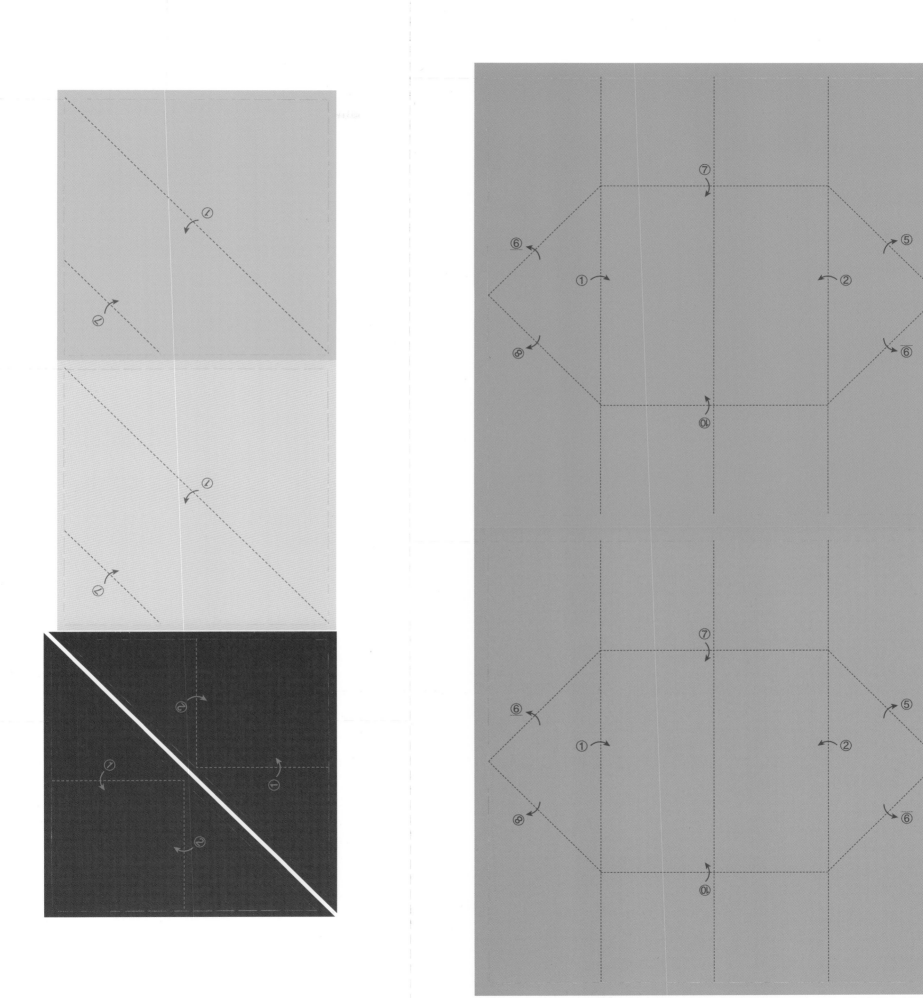

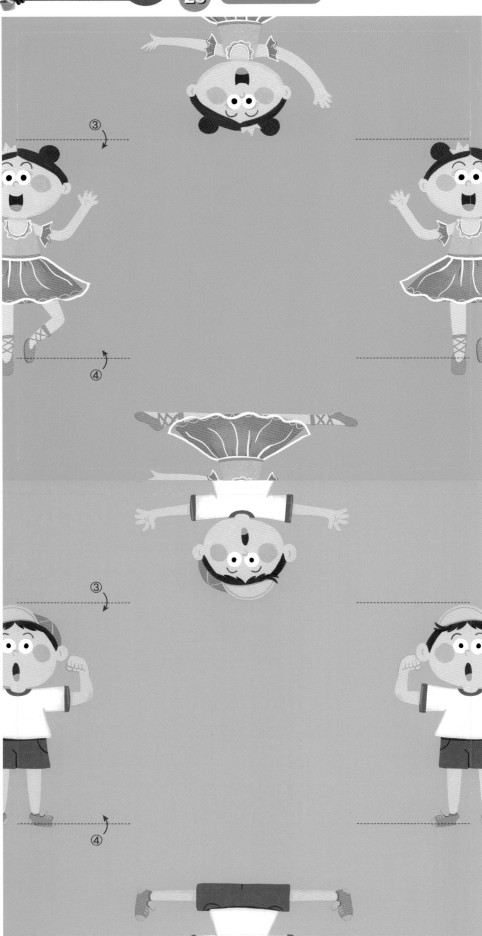

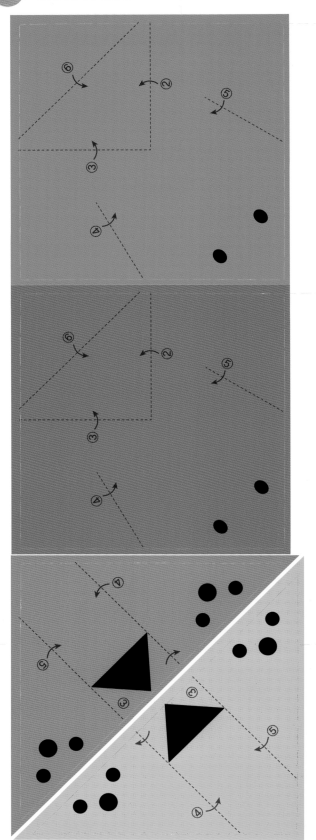

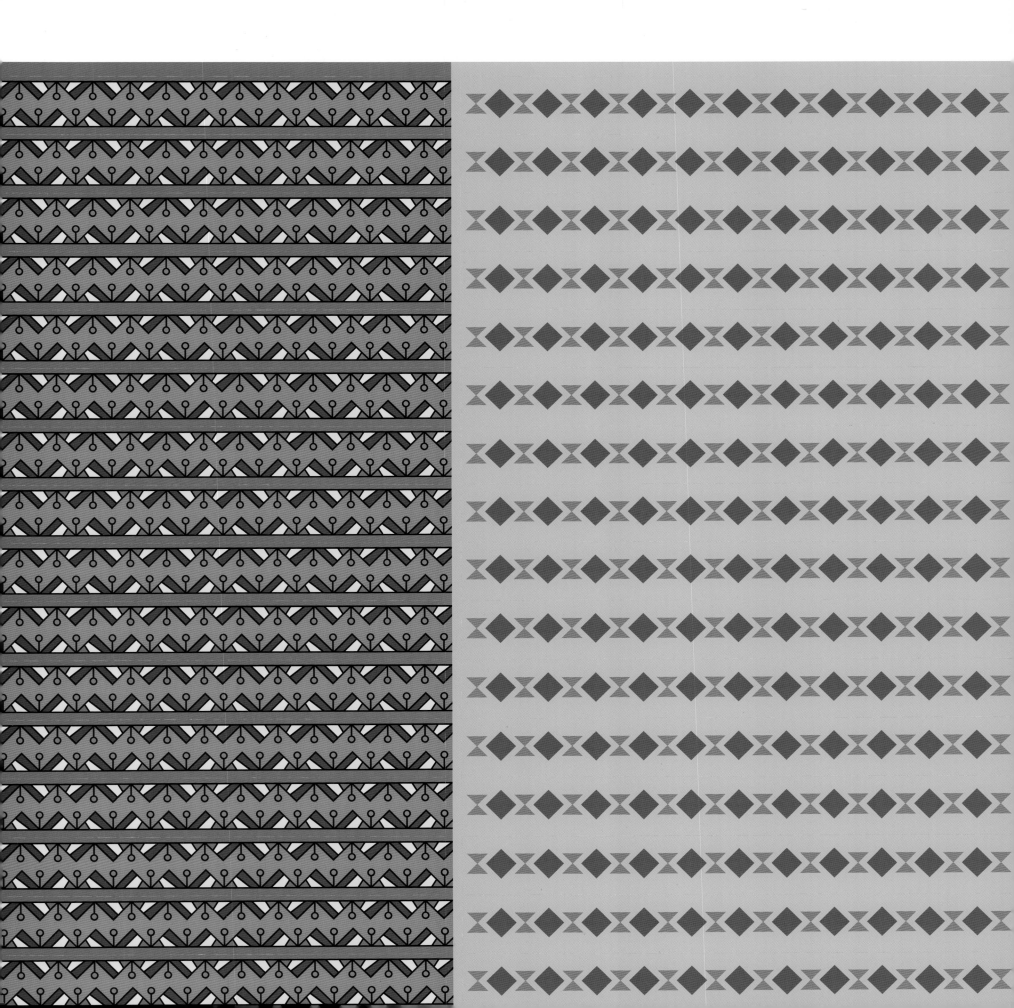

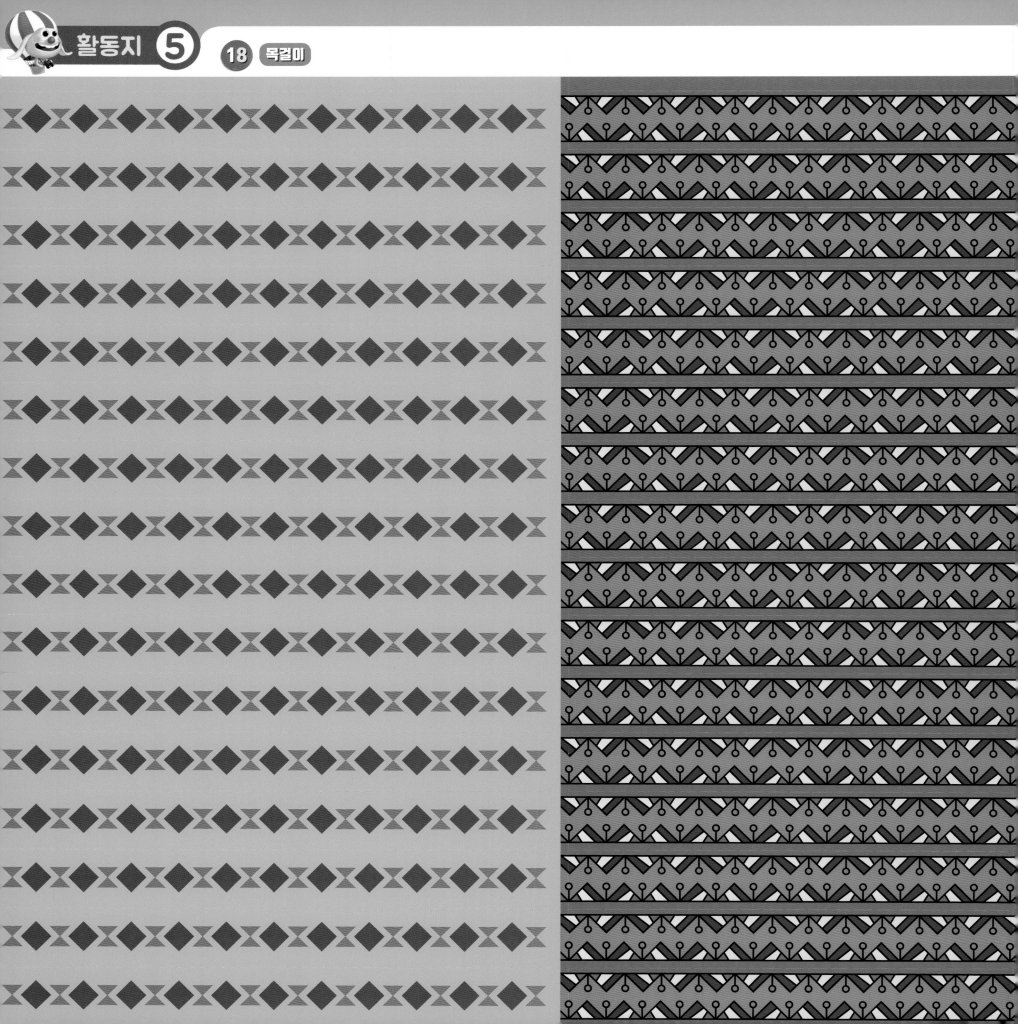

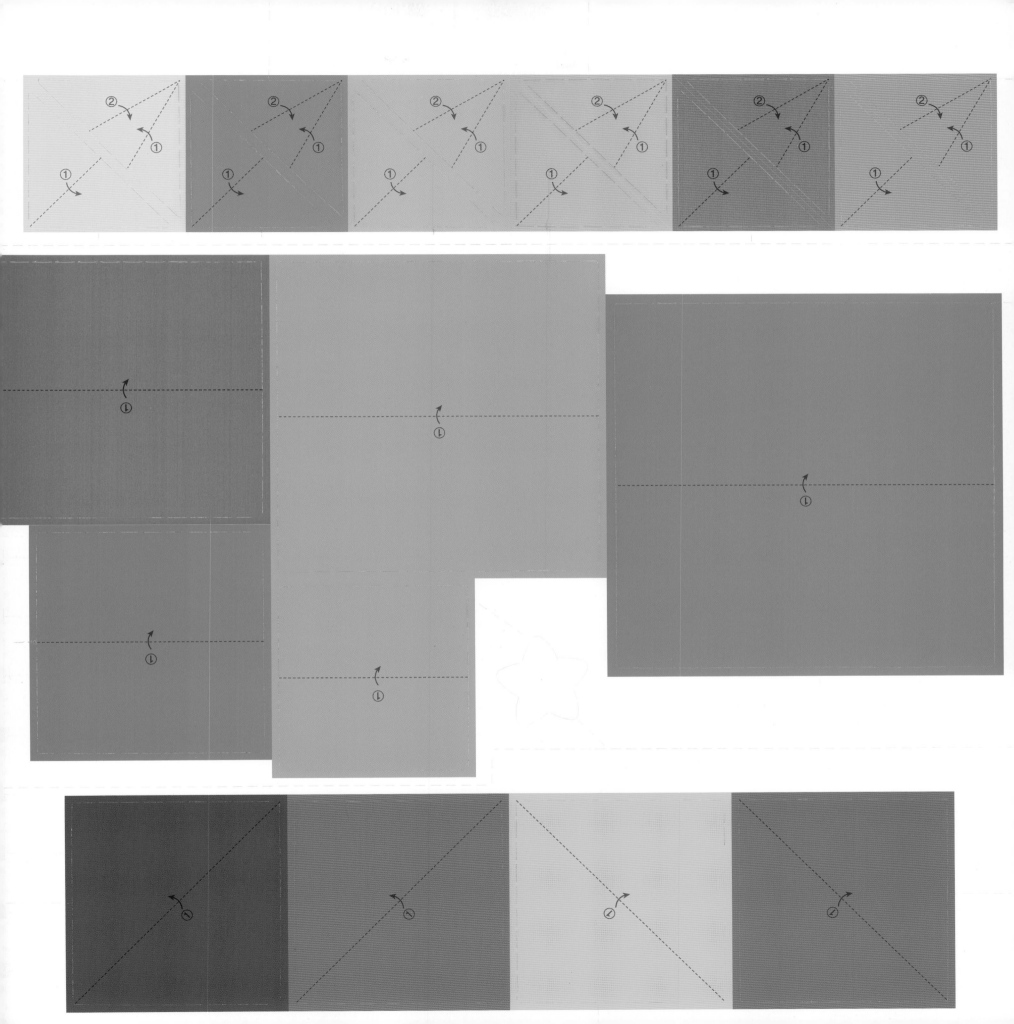

14 크리스마스 트리

22 강아지·고양이

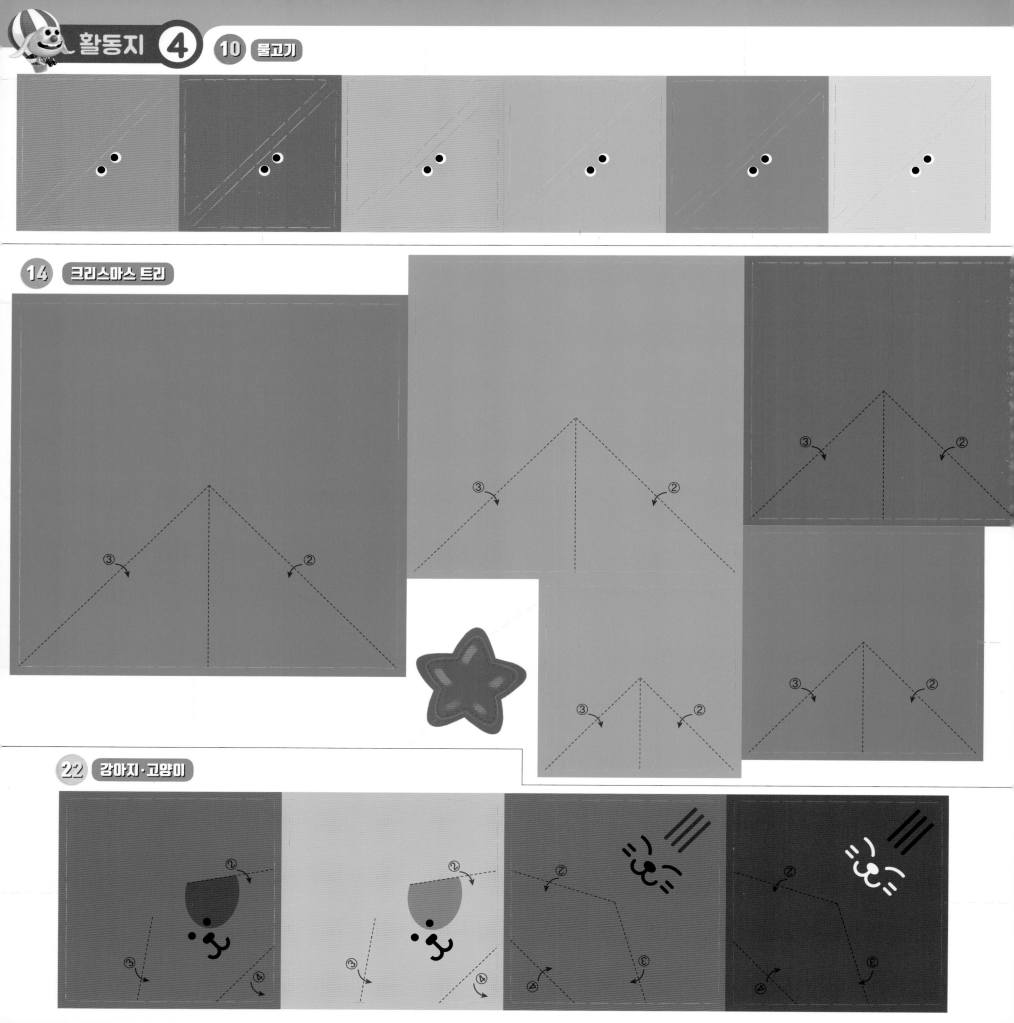

27

28

29

30

02 튤립

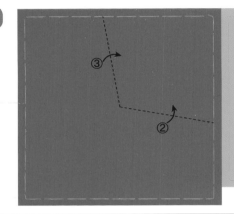 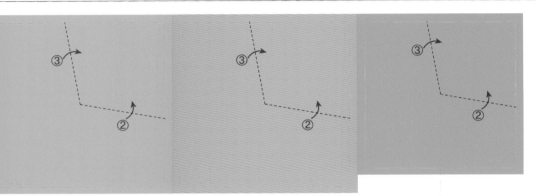

06 공작새

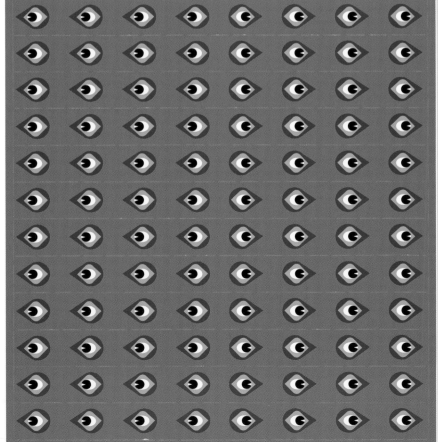 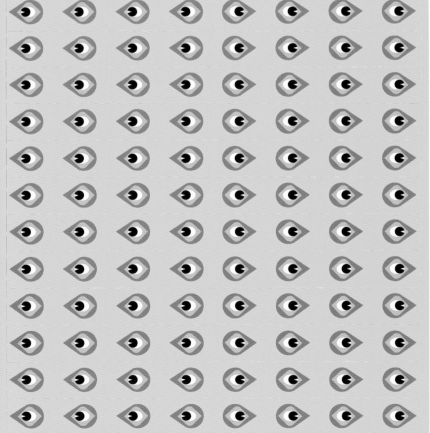

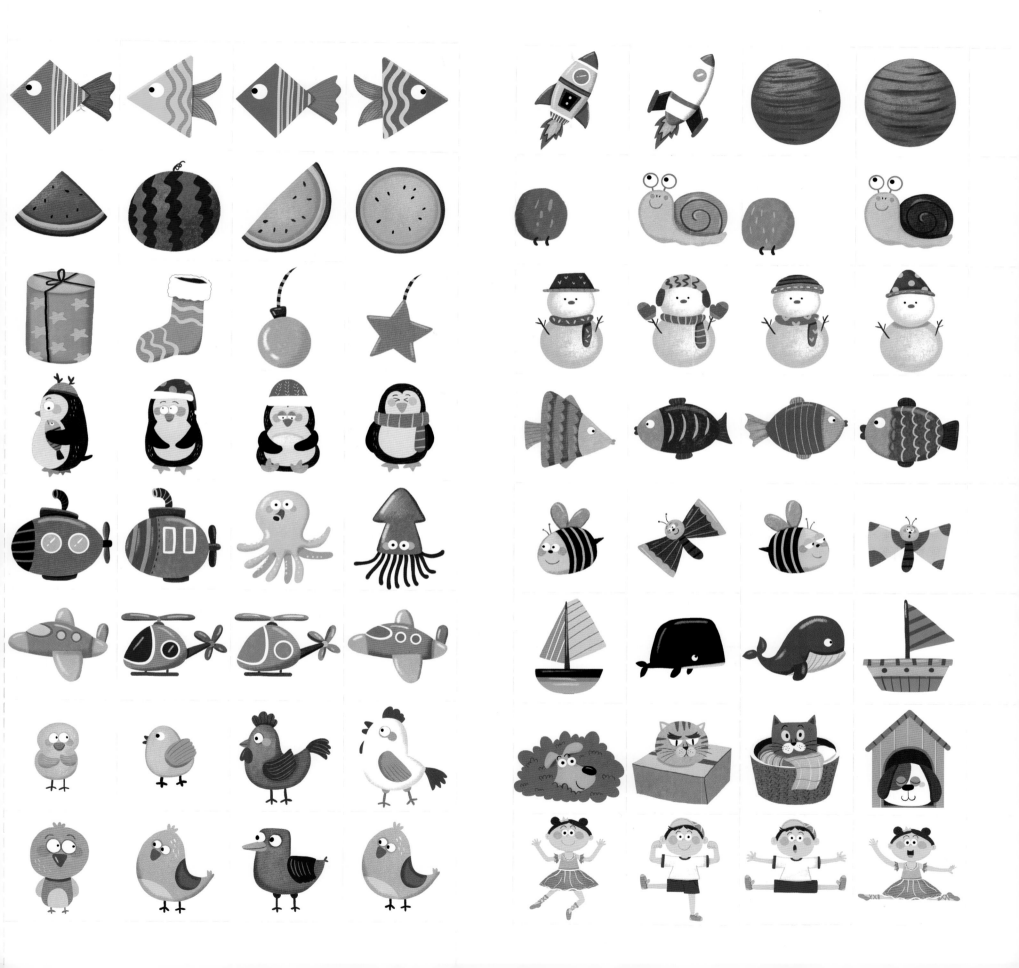

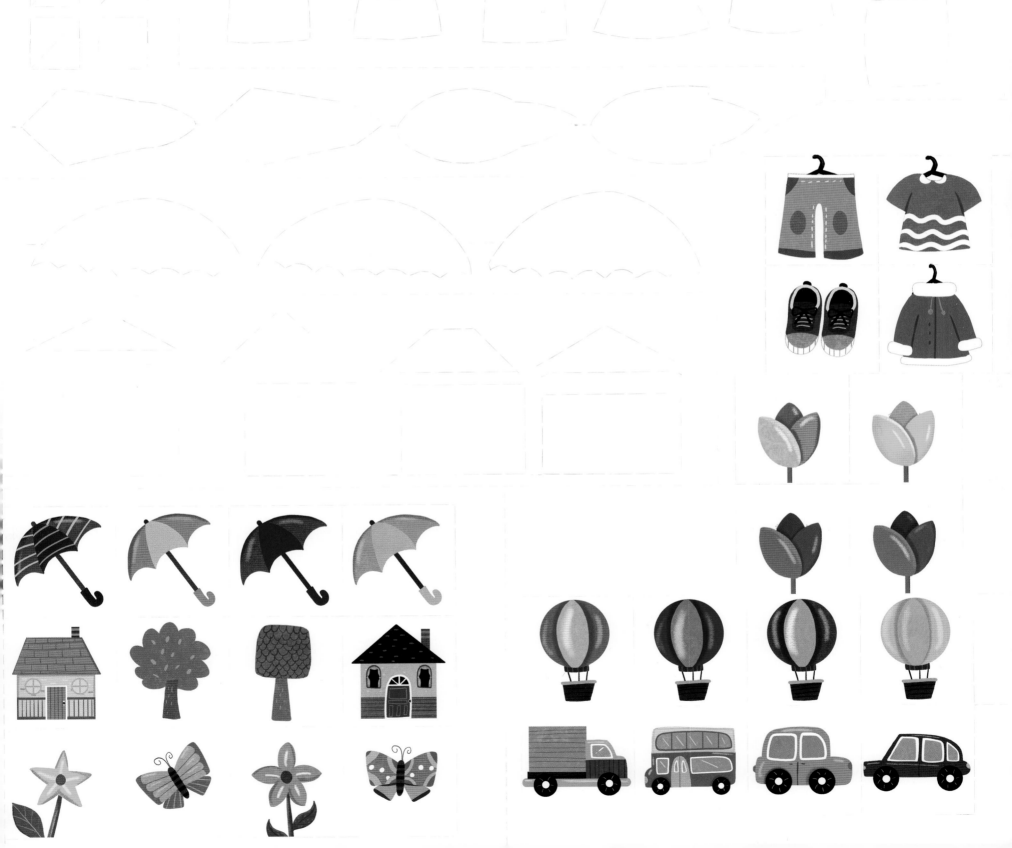

01

※ 로켓에 날개를 붙여서
나만의 로켓을 만드세요.

09

01

03

05

02

03

04

05

07

08

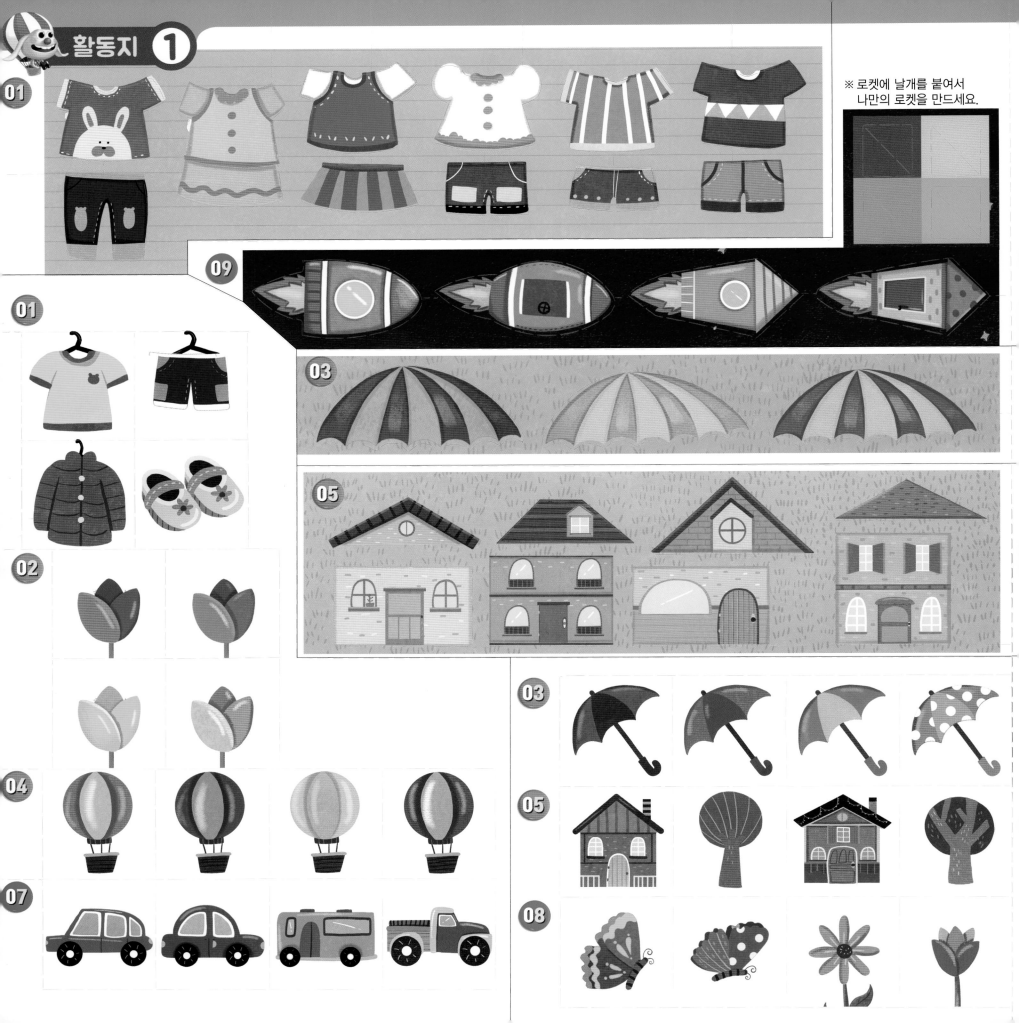

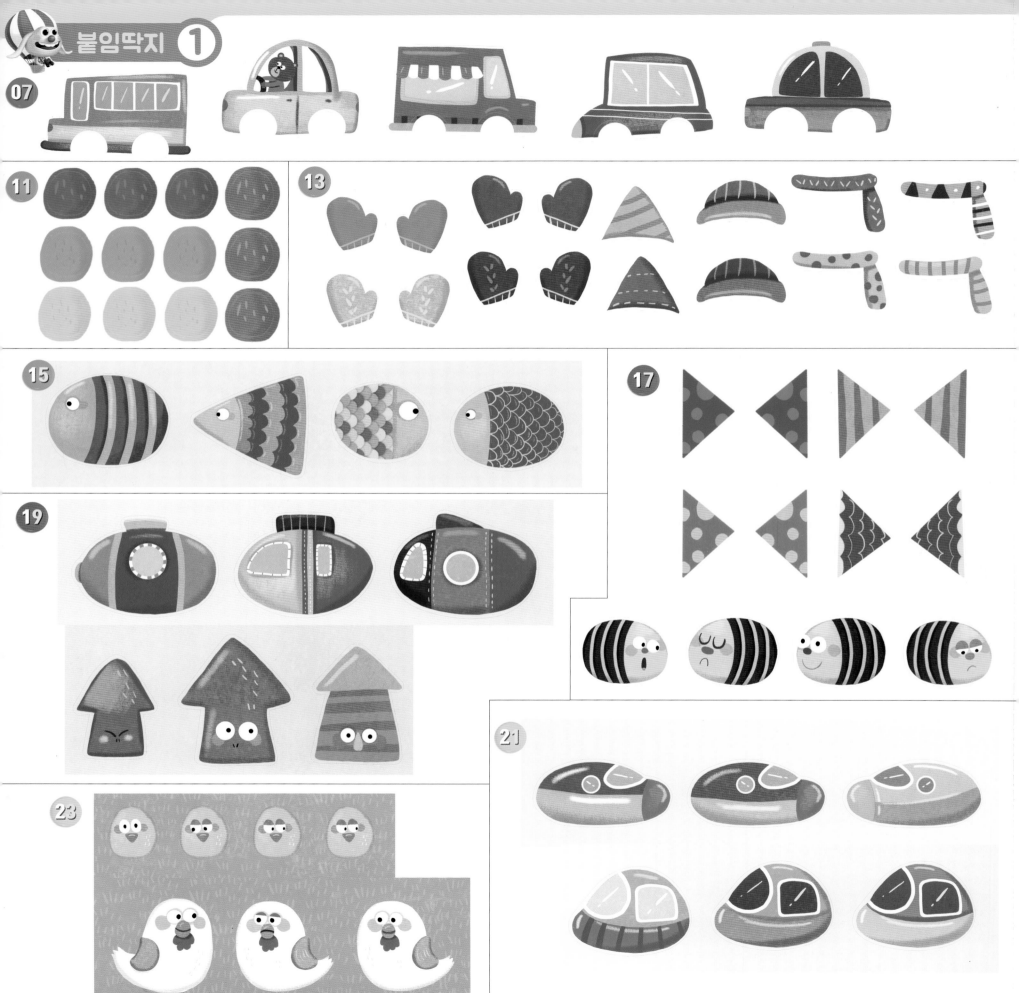